THE GALAPAGOS ISLANDS

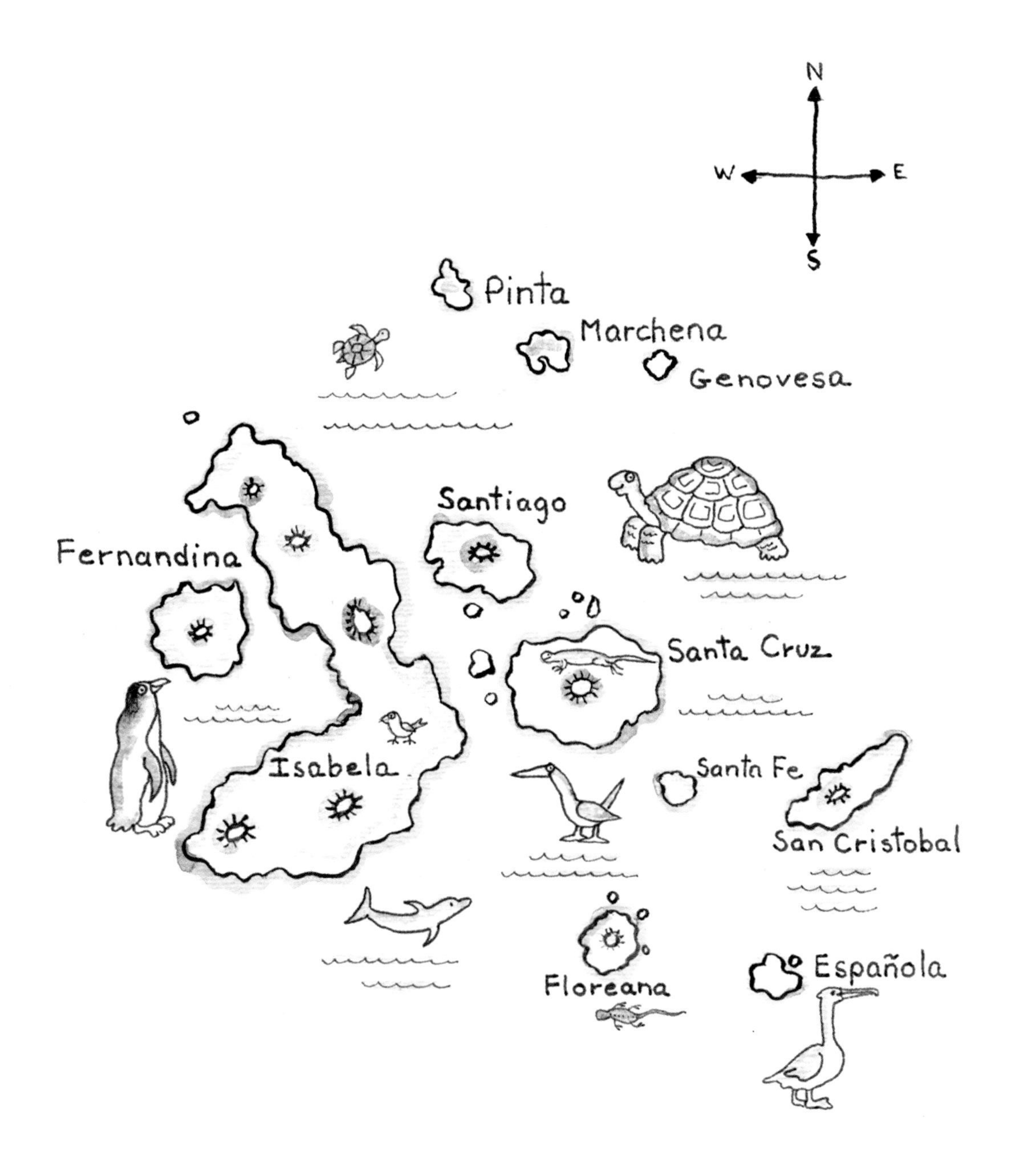

For Katie and Alex and children everywhere who care about the animals of Galapagos.

Para Katie y Alex y los niños en todas partes que se preocupan por los animales de Galápagos

Also by Johanna Angermeyer:
My Father's Island; *A Galapagos Quest*

Published in 2009 by; Pelican Press,
Porthole Cottage, Peartree Hill, Stonegate, East Sussex. TN5 7EP

www.angermeyer.co.uk

Impresión:
Artes Gráficas Senefelder

Is Your Mama An Iguana?

Written & Illustrated
by Johanna Angermeyer

Escrito e ilustrado
por Johanna Angermeyer

One morning when the Galapagos sun
rose high in the sky,
Iggy hatched from his soft white egg.
His brother and sister ran off.

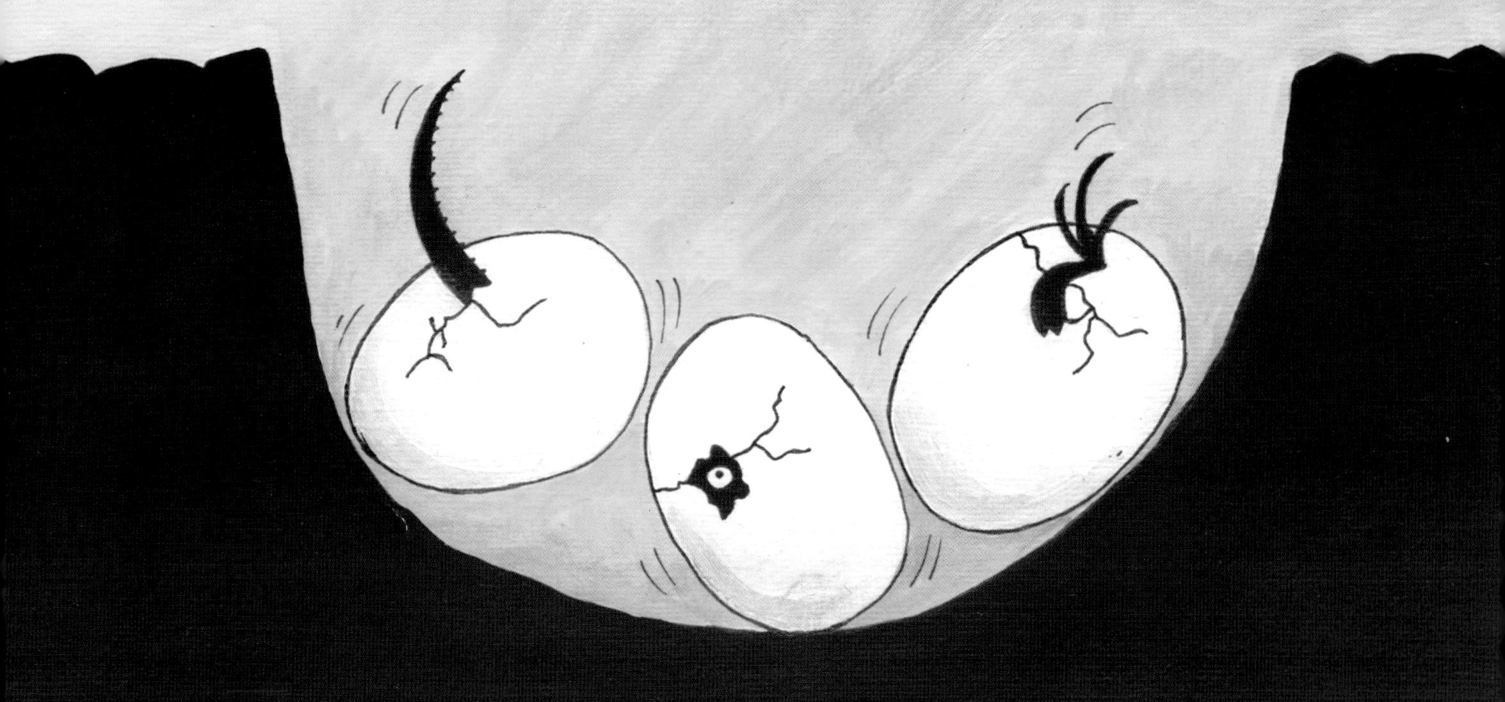

Una mañana, cuando el sol de Galápagos
se levanto arriba en el cielo,
Iggi salió de su suave huevo blanco.
Su hermano y hermana se
fueron corriendo.

But Iggy was different.
He shouted, “Mama!”

Pero Iggi era diferente.
Él gritó, “¡Mamá!”.

Iggy saw a friendly animal. “Mama!” he called.
“Arf! Arf! I am not your mama,” said a sea lion.
“I like leaping about in the waves all day.”

Iggi vio un animal amistoso. “¡Mamá!” llamo.
“Arf! Arf! Yo no soy tu mamá,” dijo un lobo marino.
“A mí me gusta ir saltando por las olas todo el día.”

Iggy tried leaping about in the waves
but he was tossed here and there and everywhere.
"Oh no. You are not my mama," he cried.
"Is your mama an iguana?" asked the sea lion.
"Iguanas are very quiet animals."

Iggi intentó saltar por las olas pero fue lanzado
de aquí para allá y a todos lados.
"Oh, no. Tú no eres mi mamá," clamó.
"¿Es tu mamá una iguana?" preguntó el lobo marino.
"Las iguanas son animales muy silenciosos."

Iggy saw a quiet animal.
"Mama!" he called.
"Plika, plaka. Plika, plaka. I am not your mama," said a flamingo.
"I stick my head into the lagoon and catch tiny shrimps like this."

Iggi vio un animal silencioso.
"¡Mamá!" clamó.
"Plika, plaka. Plika, plaka. Yo no soy tu mamá," dijo un flamingo.
"Yo meto mi cabeza en la laguna y atrapo pequeños camaroncitos así."

Iggy tried sticking his head into the lagoon.
"No, you are not my mama," he gasped.

Iggi intento meter su cabeza en la laguna.
"No, tú no eres mi mamá," clamó.

"Is your mama an iguana?" asked the flamingo.
"Iguanas have long tails."

"¿Es tu mamá una iguana?" preguntó el flamingo.
"Las iguanas tienen colas largas."

Iggy saw an animal with a long tail.
"Mama!" he called.
"Cronk! Cronk! I am not your mama,"
said a Blue-footed Booby.
"I fly high in the sky and swoop down
into the sea after fish."

Iggi vio un animal con una cola larga.
“¡Mamá!” llamó.
“Cronk! Cronk! Yo no soy tu mamá,”
dijo un piquero de patas azules.
“Yo vuelo alto en el cielo y caigo en
picada en el mar buscando peces.”

Iggy did not want to fly high in the sky and swoop down into the sea.

Iggi no quería volar alto en el cielo y clavarse de picada en el mar. "No, tú no eres mi mamá," gritó.

"No, you are not my mama," he yelled.
"Is your mama an iguana?" asked the
Blue-footed Booby.
"Iguanas sit on rocks and soak up the sun."

"¿Es tu mamá una iguana?" preguntó
el piquero patas azules.
"Las iguanas se sientan sobre las rocas y toman el sol."

Iggi vio un animal sentado sobre una roca, tomando el sol.
"¡Mamá!" llamó.
"Hee Yaw! Hee Yaw! Yo no soy tu mamá," dijo un pingüino.
"Yo buceo hasta lo profundo del frío mar y como peces.

Iggy saw an animal sitting on a rock, soaking up the sun.
"Mama!" he called.
"Hee Yaw! Hee Yaw! I am not your mama," said a Penguin.
"I dive deep down into the cold sea and eat fish."

Iggy did not want to eat fish.
"No, you are not my mama," he sputtered.

"Is your mama an iguana?" asked the penguin.
"Iguanas look very old."

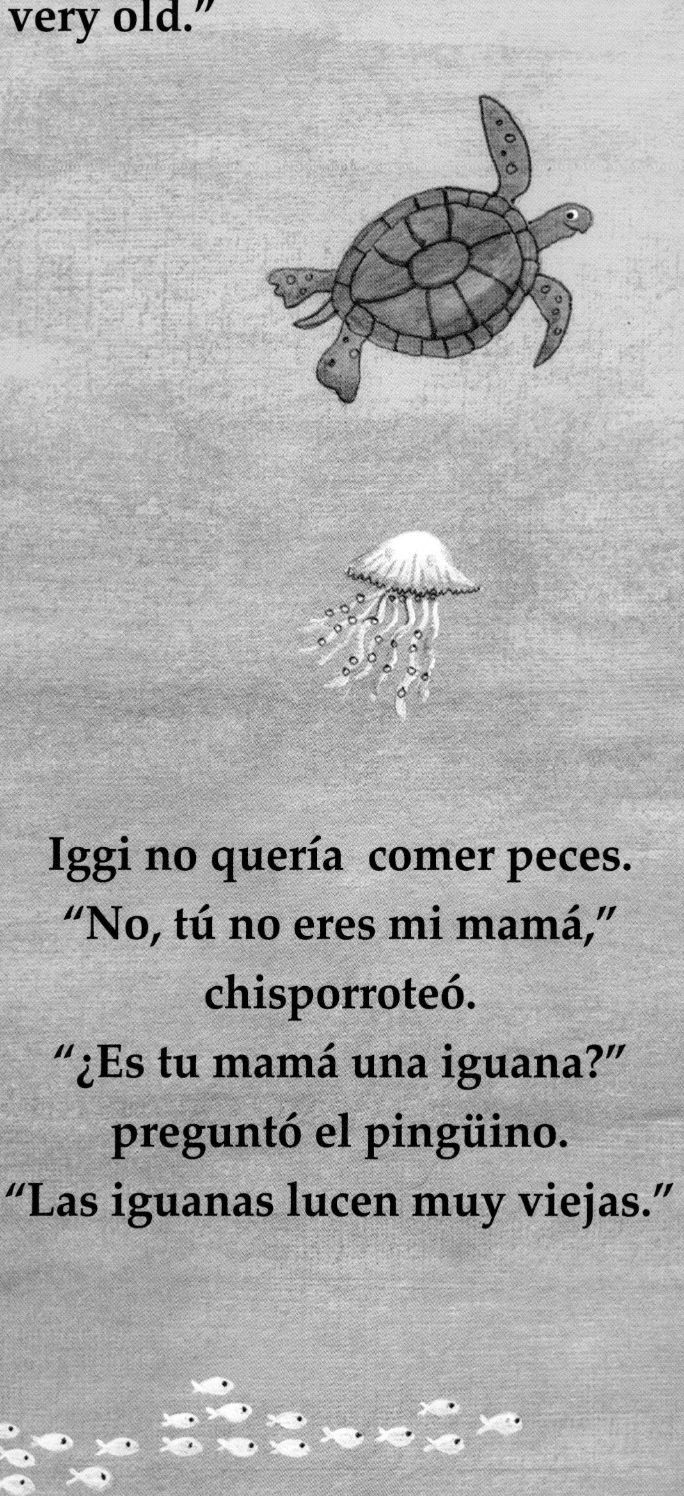

Iggi no quería comer peces.
"No, tú no eres mi mamá,"
chisporroteó.
"¿Es tu mamá una iguana?"
preguntó el pingüino.
"Las iguanas lucen muy viejas."

Iggi vio un animal que lucia muy viejo.
"¡Mamá!" llamó.
"Wiss! Wiss! Yo no soy tu mamá," dijo una tortuga gigante.
"Yo me muevo lentamente y como mucha hierba."
Iggy trato de comer algo de hierba
"No, tú no eres mi mamá," dijo con tristeza.

Iggy saw an old-looking animal.
"Mama!" he called.
"Wiss! Wiss! I am not your mama," said a Giant Tortoise.
"I move slowly and eat a lot of grass."
Iggy tried eating some grass.
"No, you are not my mama", he said sadly

"Las madres son criaturas hermosas,"
dijo la sabia y vieja tortuga.

"Mothers are beautiful creatures,"
said the wise old tortoise.

Iggy saw someone very beautiful.
"Mama!" he called.
"Clickety-click! Clickety-click!
I am not your mama," said a Frigate Bird.
"Is your mama an iguana? Iguanas smile a lot."

Iggi vio a alguien muy hermoso. "¡Mamá!" llamó.
"Clickety-click! Clickety-click!
Yo no soy tu mamá, " dijo una fragata.
"¿Es tu mamá una iguana? Las iguanas sonríen mucho."

Iggi se sintió muy solitario. "¿Encontraré a mi mamá alguna vez?", se preguntaba.

Iggy felt very lonely. “Will I ever find my mama?”

Then Iggy saw a quiet animal. It had a long tail.
It was sitting on a rock and soaking up the sun.
It looked old. Iggy ran as fast as he could!

Entonces Iggi vio un animal silencioso. Tenía una cola larga. Estaba sentada sobre una roca y tomando el sol. Lucia muy vieja. ¡Iggi corrió lo más rápido que pudo!

"¡Oh! Tú eres la mamá más hermosa en todo el mundo!" Iggi suspiró con felicidad. Y la mamá iguana solo sonrió y sonrió.

"Oh, you are the most beautiful Mama in the whole world!" Iggy sighed happily.
And Mama Iguana just smiled and smiled.

We do not love someone because they are beautiful, but they seem beautiful to us because we love them.

No amamos a alguien porque es hermoso, pero nos parece hermoso porque lo amamos.

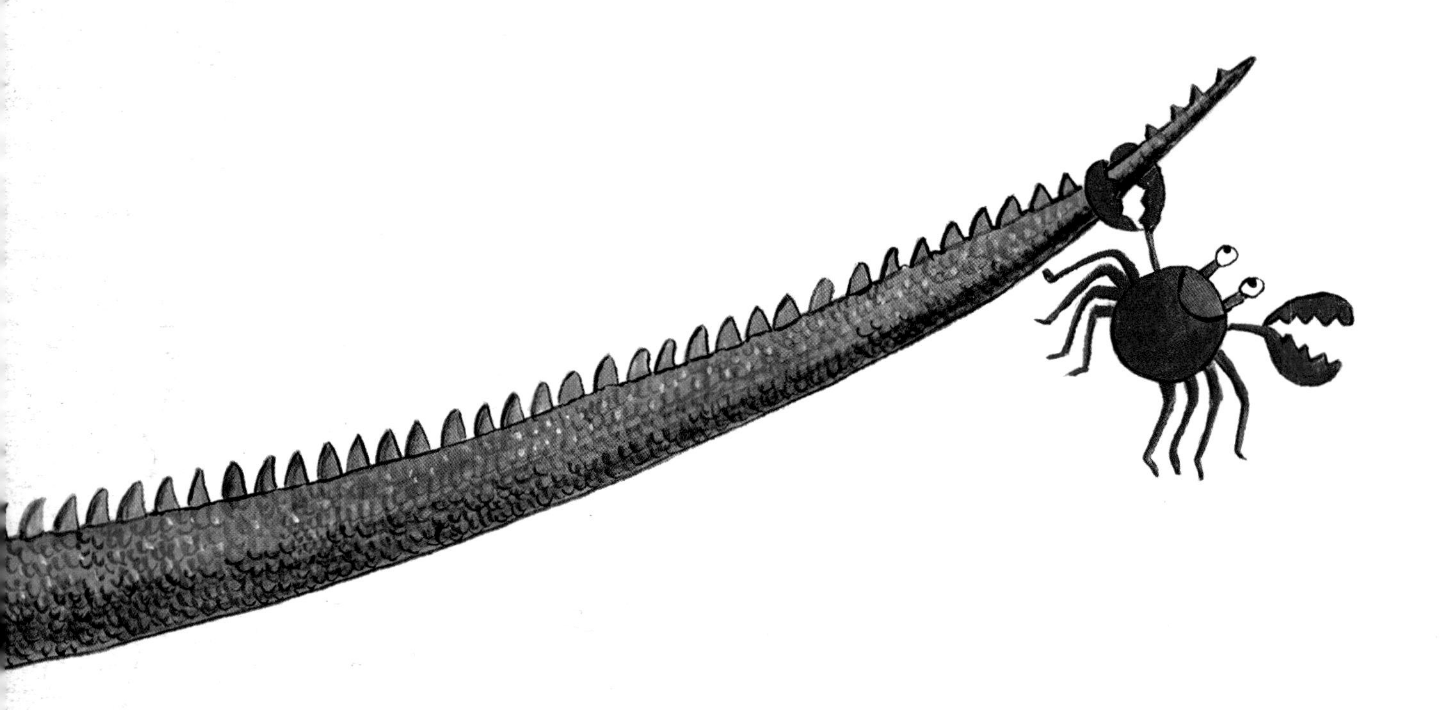

THE END FIN